中国科学院院士、国家自然科学奖获得者 张景中 领衔创作

天梦奇旅 第五卷

小学数学实验漫画版

张景中 张矩 黄子睿 / 著

科学普及出版社
·北 京·

图书在版编目（CIP）数据

天梦奇旅. 第五卷 / 张景中，张矩，黄子睿著. — 北京：科学普及出版社，2017.1

（小学数学实验：漫画版）

ISBN 978-7-110-09348-1

Ⅰ. ① 天… Ⅱ. ① 张… ② 张… ③ 黄… Ⅲ. ① 小学数学课 – 教学参考资料 Ⅳ. ① G624.503

中国版本图书馆 CIP 数据核字 (2016) 第 244836 号

策划编辑：杨虚杰
责任编辑：汪晓雅
装帧设计：犀烛书局
责任校对：杨京华
责任印刷：马宇晨

出　　版：科学普及出版社
发　　行：中国科学技术出版社发行部
地　　址：北京市海淀区中关村南大街 16 号
邮　　编：100081
发行电话：010–63583170
传　　真：010–63581271
网　　址：http://cspbooks.com.cn

开　　本：787mm × 1092mm 1/32
字　　数：105 千字
印　　张：5. 875
版　　次：2017 年 1 月第 1 版
印　　次：2017 年 1 月第 1 次印刷
印　　刷：北京科信印刷有限公司

书　　号：ISBN 978–7–110–09348–1 / G · 3986
定　　价：19. 80 元

关于作者的那些事

张景中爷爷年轻的时候喜欢写诗，也喜欢做数学题。后来题越来越难，20 年前题就难到特别不好做的时候了，张爷爷就成了中国科学院院士。可是张爷爷还喜欢写书给小朋友看，比如《数学传奇》《漫话数学》《数学游戏的故事》《少年数学实验》。

张矩叔叔小时候做不好张爷爷（那个时候叫张叔叔）出的题，所以到美国去念了计算机科学的博士学位。现在在中国科学院重庆院守着一万多个核的超级计算机（反正就是很厉害）做天气预报跟基因分析计算的时候补做数学题。张矩叔叔特别喜欢听人家讲故事。

黄子睿姐姐小时候喜欢跳舞、喜欢听故事、喜欢讲故事、喜欢过家家。现在长大了学会了编故事，还喜欢找其他哥哥姐姐一起编故事。

葛良叔叔小时候没有上过课外美术班，自己就喜欢画画。后来长大了就给小朋友做动画片，做过《熊猫晶晶》《洛克王国》的原画指导，还制作了《熊小米》给特别小的孩子看。现在领着好多哥哥姐姐给大家做漫画。

关于内容

慧之元神千百年间都附身在有灵性的物体身上，回答主人的问题。最近风华小学三年级懒癌学生夏小梦的生活可不平静：家里8个月大的弟弟突然开口叫他“主人”；新来的数学老师帅气又神秘；还有学校后山古堡，究竟藏着什么？

夏小梦在弟弟和朋友的帮助陪伴下，不仅在探险中提高了数学成绩，还学会了爱与责任。

序

《少年数学实验》完成以后，张景中院士一度雄心勃勃着手准备一本《小学数学实验》，可惜因事务繁冗未能一鼓作气完成。张矩看到已完成部分，虽然按张景中既有著作风格不够独立成书，然而参照国外数学漫画的形式，足够出版五六本小读物了。张景中从事基础教育科普工作30余年，深感青年人的参与对于科普工作十分珍贵与重要，探索漫画科普创作之路这一理念也得到了张院士的积极支持。因此，黄子睿在重庆邮电大学征召了十几位爱好写作的本科大学生，绝大部分是理科学生。他们把故事编得可读性强，努力揣摩小弟弟、小妹妹的兴趣所在。葛良从事动漫工作多年，近年涉足幼教动漫，对高年级教育动漫开发的挑战有深刻理解。托国家近年大力发展动漫产业的福，葛良得以找到一批年轻漫画工作者参与我们的工作。作为创作方式的一个实验，我们尽可能在每个部分体现多名写作人员与多名漫画创作人员的合作。筚路蓝缕，举步不易，然终成果实，不惧尚有瑕疵，亦呈现给读者，以求指正。企望团队从此出发，日夜磨炼，修正不足，不断成熟。

张 矩

2016 年 夏

目录

主要人物介绍

夏小梦：

本书主角，小学三年级学生，夏小天的姐姐，拥有酷酷的性格。

易佰分：

小梦班上的学霸，胜负心极强，经常引起他人的反感。

布慧庞：

小梦的同学，吃货一枚，小梦的好朋友，为人憨厚，懂事善良。

姚爱国：

小梦班的班长，一个中二病的热血直男。

美琪：

小梦班的班花，家庭富裕，受班上男生欢迎，爱耍小性子，非常自恋。

李斯特：

小梦学校的数学教授，头脑灵活，学识丰富，外表俊朗，为人自信，受全校师生喜爱。

迪卡卡：

小梦学校校长，原是全球排名第一的拉弗儿大学的数学系高级教授，为人睿智低调。

张玲：

小梦班班主任，职业女性，循规蹈矩，服从上级爱护学生。有更年期轻微症状，易被激怒。

夏小天：

夏小梦的弟弟，八个月大。外表看似呆萌，实则是 IQ 超过 200 的天才宝宝，经常黏着姐姐夏小梦。

第一话 小天的秘密

今天吓死宝宝了！
小天被神仙附身？！
是的。
惊动了暗之元神魍魉。
但由于慧之元神的苏醒，

庄子《逍遥游》中曾写道：神仙，不食五谷，吸风饮露，乘云气，御飞龙，而游乎四海之外。
我也不要吃五谷！我要吃肉！
对！
他肯定是来协助我拯救世界的。

明天星期六，我们去夏小梦家找小天吧！
可以是可以！
但你们要保守秘密。
当然！
SUPE
MA

喂！
啪！
啪！
喂！
他是慧之元神，不是许愿机。

美食可是门学问呐。
神仙还要吃东西？
知己啊！

神仙平时都忙着拯救世界吗?
小屁孩，神仙很忙的，哪有时间去拯救世界。
那你们都忙些什么?
忙着斗斗地主，打打酱油……
……
我的法力不适合你。
啥?！不如你传我点法力，把拯救世界的重任交给我!

神仙的世界都是什么样的？
织女在银河边上一定很孤单吧？广寒宫里的兔子是不是长得和豆豆一样呢？
可能这只是古人构想出来的故事，中国人信菩萨，那外国人还信耶稣呢！
才不是呢！世界上就是有菩萨！
神，带我们去天界吧！

这个嘛，说难也不难，说简单也不简单。
夏小天，
别卖关子。
你要相信神的存在，才能得到飞翔的能力。
我们当然相信！

把左手放在我的手下面。
那你们闭上眼睛，
……

心无挂碍。无挂碍故。无有恐怖。
远离颠倒梦想。究竟涅磐。
三世诸佛。
好啦，我们飞出窗外吧！

我来试试！
哈哈哈，我会飞啦！我会飞啦！

咦？易佰分，你怎么飞不起来？
我在飞啊。
哈哈，你只离地面 2 厘米啊。

让我们冲向天界吧！

孩子，
相信信仰的力量。

小梦你看！
那颗星星
闪闪发光，
好漂亮啊！

那是？
启明星！
那是启明星！
终有一天它会指引你们穿越荆棘找到真正的自己。

第二话 天界之行

好美啊！
这就是仙境！

跟紧我，不要到处乱跑。

那个天界集团总部是什么鬼啊，难道你们天界还做生意？
这是玉皇大帝的宫殿。
跟电视剧里演的根本不是一个画风好吗？
额……玉帝前些年下凡，回来就把宫殿改造成人界的风格。现在不能叫玉帝，要改口叫玉总了。

呱 呱 呱
……
那你之前说神仙业务繁忙……
神仙永生不死，总得找点生活乐趣不是。
那太上老君是炼丹的吗？

差不多吧，他是玉总的家庭保健医师。
那观音娘娘是普度众生的菩萨吗？
她是玉总手下管人事的。

这不是慧神师兄吗？我们可好几百年没见了。

什么？师兄？！
凡人到此，机缘使然。

人间都说太上老君炼制长生不老丹，是真的吗？
哈哈哈哈哈
除了这长生不老丹，老夫还会炼制九九八十一种丹药。

慧神师兄，上次棋局你我还未分输赢，今日得空可要再续前局。
0
100
21
8
11

1
2
0
16
17
3
100
6
5
4
21
8
11
20
51

1
2
0 16 17 3
100 6 5 4
21
8 11 20 51

我们去太上老君的炼丹炉吧，长这么大，还不知道仙丹是什么味道。
行。

好啊，抓到两个小偷。
我们只是想见识一下仙丹，哪里偷了！
仙丹？
算我一个！

行，麻烦你安静下好吧？

这里有人看护，我们还是快离开吧。
仙丹肯定在葫芦里。

胆小鬼，《西游记》里都说了太上老君的金角银角童子很爱睡觉的，把青牛都看丢了。

何人大胆，敢偷仙丹！

嘿嘿……两位金银爷爷，我们不是来偷仙丹的，我们就是好奇，想看看。
你们是谁？
慧之元神是我师傅！
原来是那偷吃贼的徒弟，来人！把这三个小贼投入炼丹炉。

吱

此老鼠号称多宝道人。早年乃是妖族中的一只鼠妖，对寻找法宝丹药有异常的癖好。

好你只多宝老鼠，又来偷吃。看我不告诉太上大人。

师侄啊，我这灵丹妙药你可没少吃啊。
参见两位师伯！
金银童子去把大殿收拾一下，我要和师兄谈论要事！
见过大师伯和师尊。

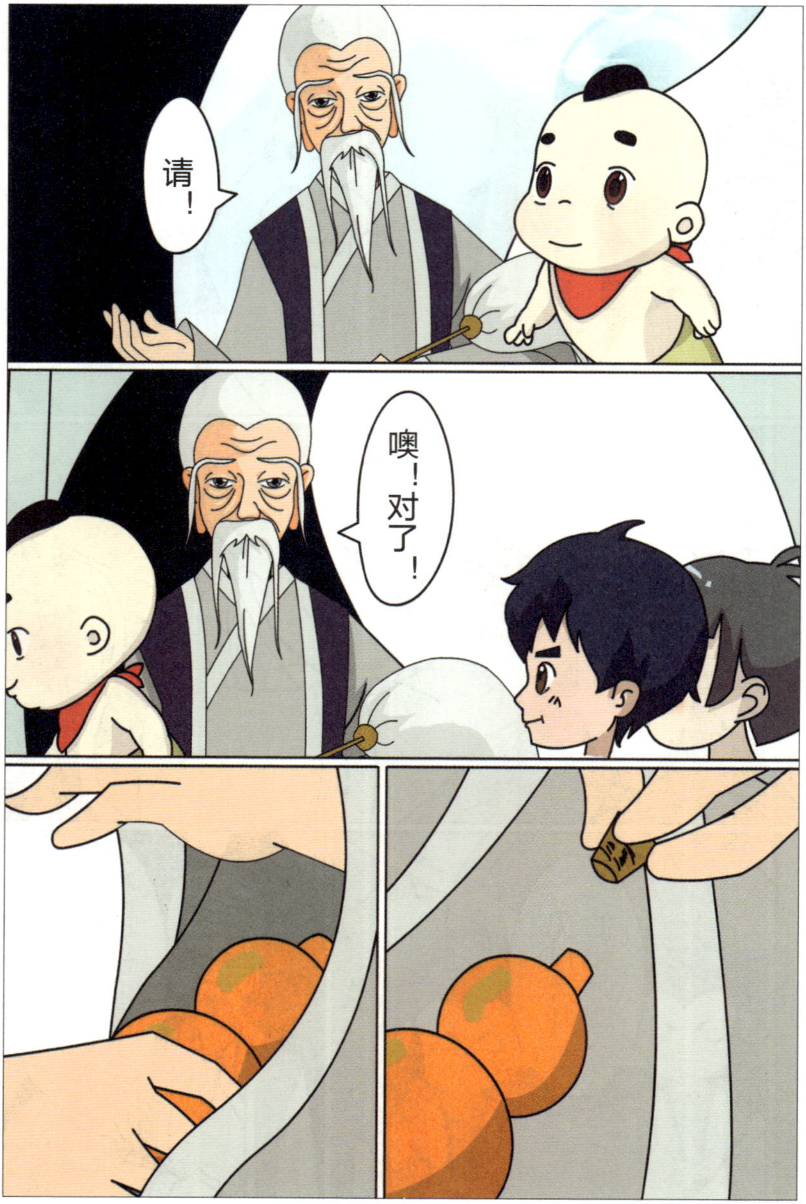
请！
噢！对了！

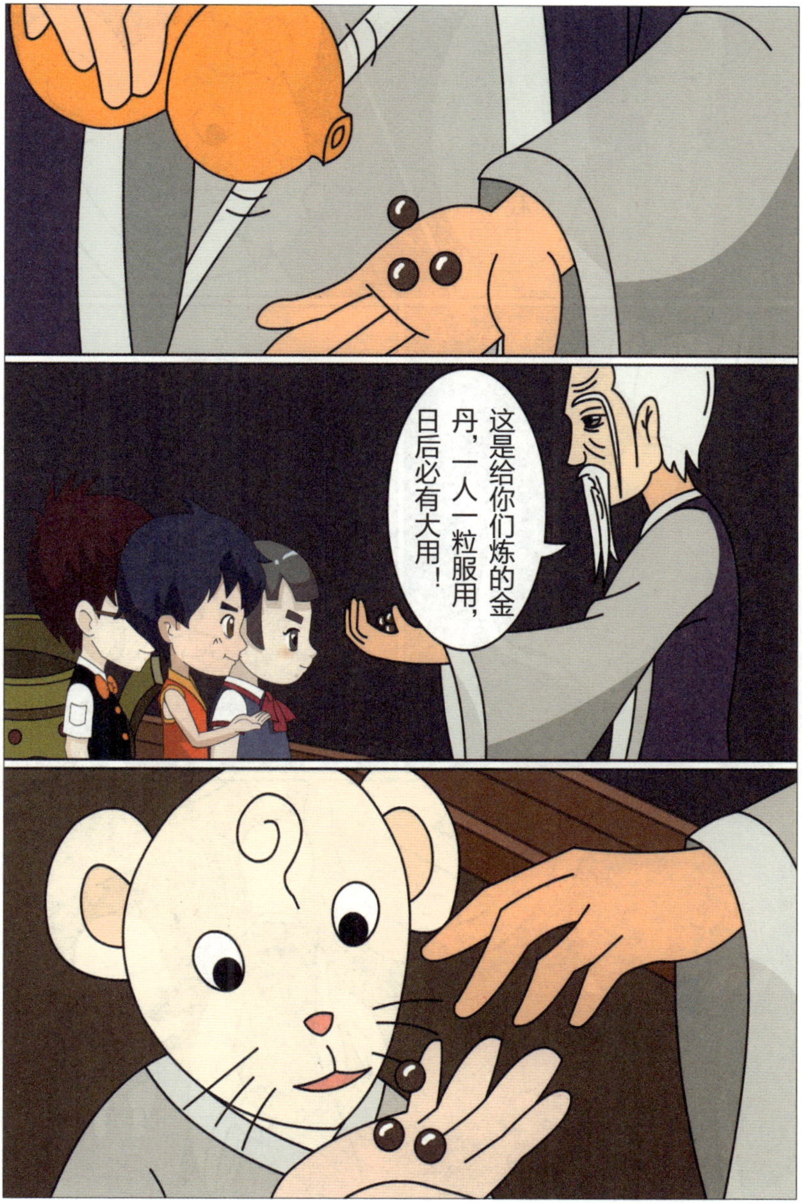
这是给你们炼的金丹，一人一粒服用，日后必有大用！

你就算了吧！你吃的丹药快赶上我十年炼的了。

哇，这神丹妙药，我吃了会不会法力无穷啊？
吃吧，老君特意给你们的！

老君只给你们三人，肯定是有他的用意。
爷爷说过，好东西要和朋友分享才行的。
吃吧！
嗯！
嗯！

咕！
好像没什么反应啊？
噢！

噢！
飞啊！

啊！

哎哟！
这仙丹是山楂丸吧?!
哈哈哈哈哈！

第三话 巧克力事件

我走啦。
再见。

晚安，
孩子们。
明早醒来只会
记得做了一个
朦胧的好梦。

古堡
办公室
难道……
难道什么？
我怀疑李斯特是暗之元神。

好愚蠢的笑话。
那之前的种种巧合你怎么解释？
那他肯定是被陷害的。
李老师可好了，今天还给我们发巧克力。

哈哈！我的了。

好疼啊！
演技不错啊。
肚子疼，浑身无力，头晕。

吃坏肚子了？
巧克力没过期啊！

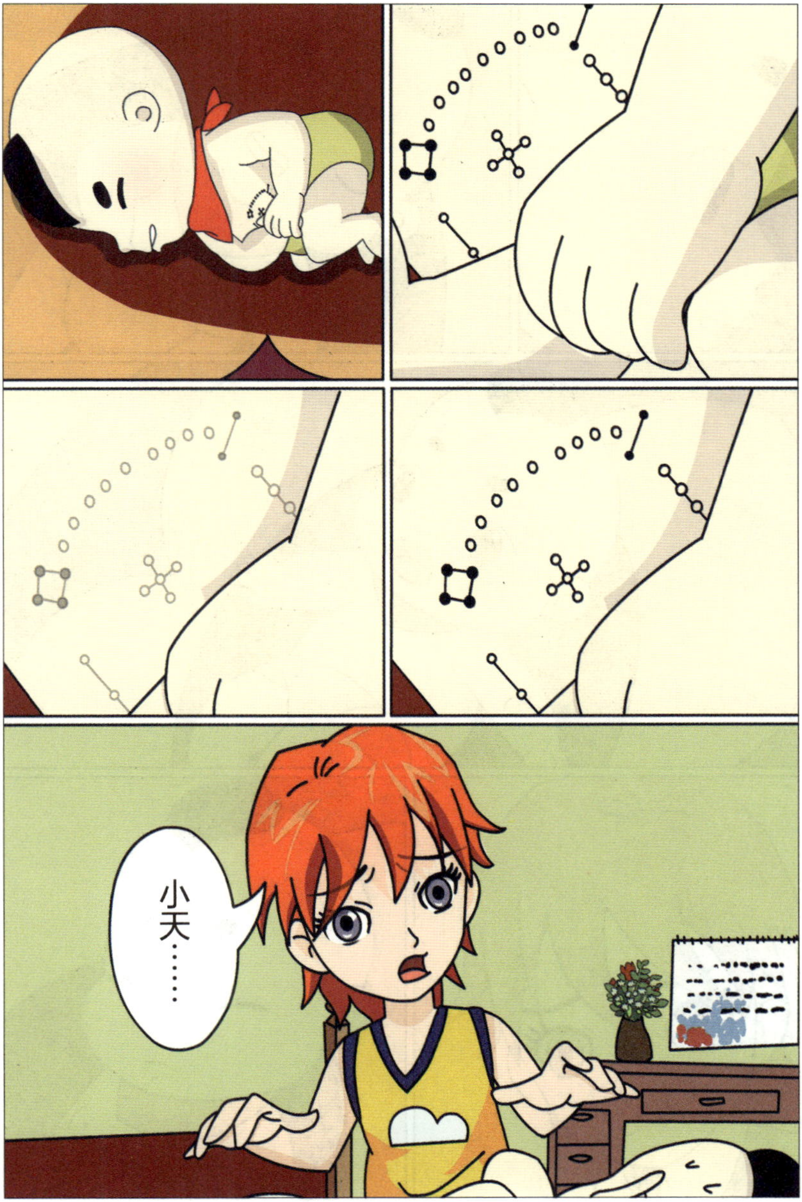
小天……

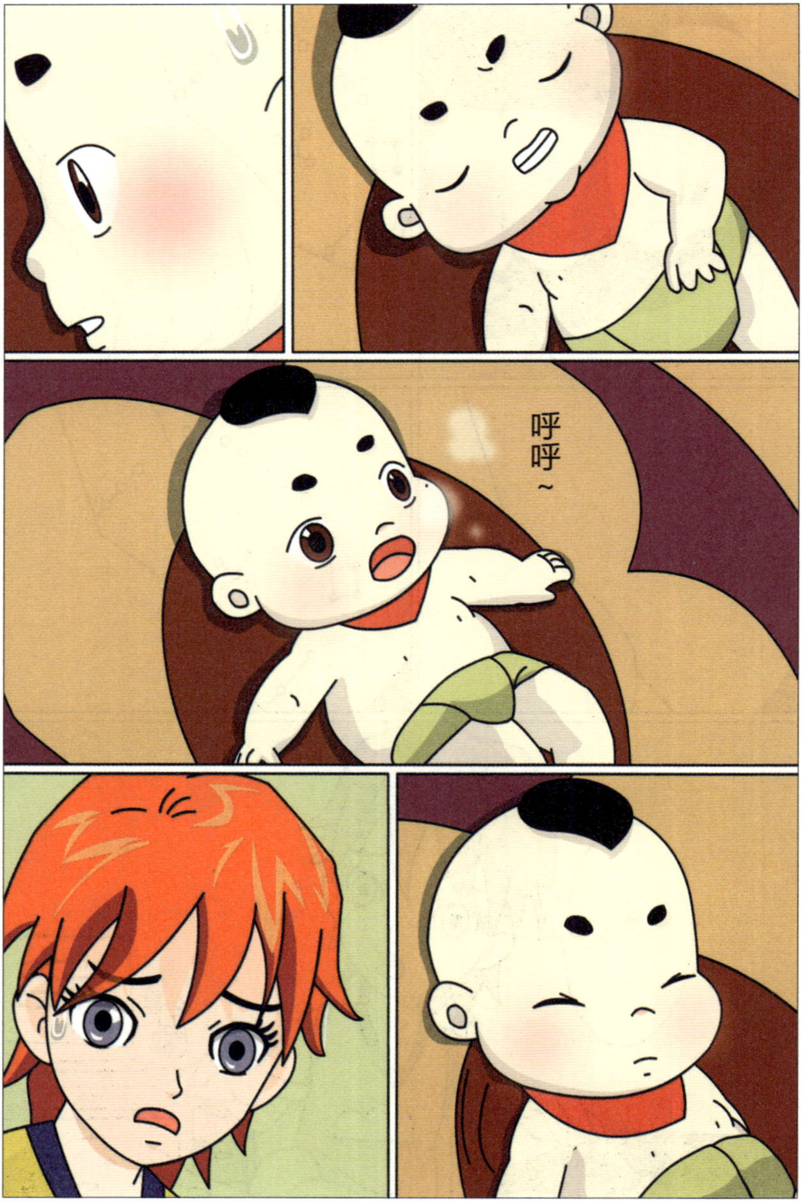
呼呼~

其他人有巧克力吗?
唉……他们抢了好多。
没事了，我睡一觉也许就好了。
噢……

第二天
小天。
……

哈哈！再不起来我可吃完喽！
那古堡……
啥？

不行！知道得越多小梦就越危险。
饱了，妈妈早上灌了我一大瓶奶，困。
暗之元神已经行动了，我得在他找到我之前尽快找到他，以防他伤害其他人。

唉，你不是约了慧庞去玩儿吗？
啧啧啧，不吃鸡腿改喝奶了？不正常……
啊！
要迟到了。爸妈去姥姥家，晚上才回来，你自己玩电脑吧。

OK，退下吧！
啪
呼！
我得好好分析一下最近发生的事。

谢谢李老师！我们先回教室了。
巧克力、豆豆丢失、「闹鬼」城堡事件、春游结界历险、校长办公室的日历，
这些都是在我来到这儿发生的，有时甚至威胁到了他们的生命安全。但这都有什么联系呢？暗之元神到底想要做什么？而且都与学校有关……
啊！头好疼啊！

A3 L2 A2 L1 A1 A3 L3
A3 L2 A2 L3 L1 A4 L4 A1
L3 A3 A1 L2 L4 A2 L1 A5 L5 A1
A2
为什么我一头疼就有这些东西，而且还有只蚂蚁！？
啊！是暗之元神找我的路线！我必须得在小梦回来之前找到他！

这是几个多边形，这三个多边形的内角和分别是180°、360°、540°

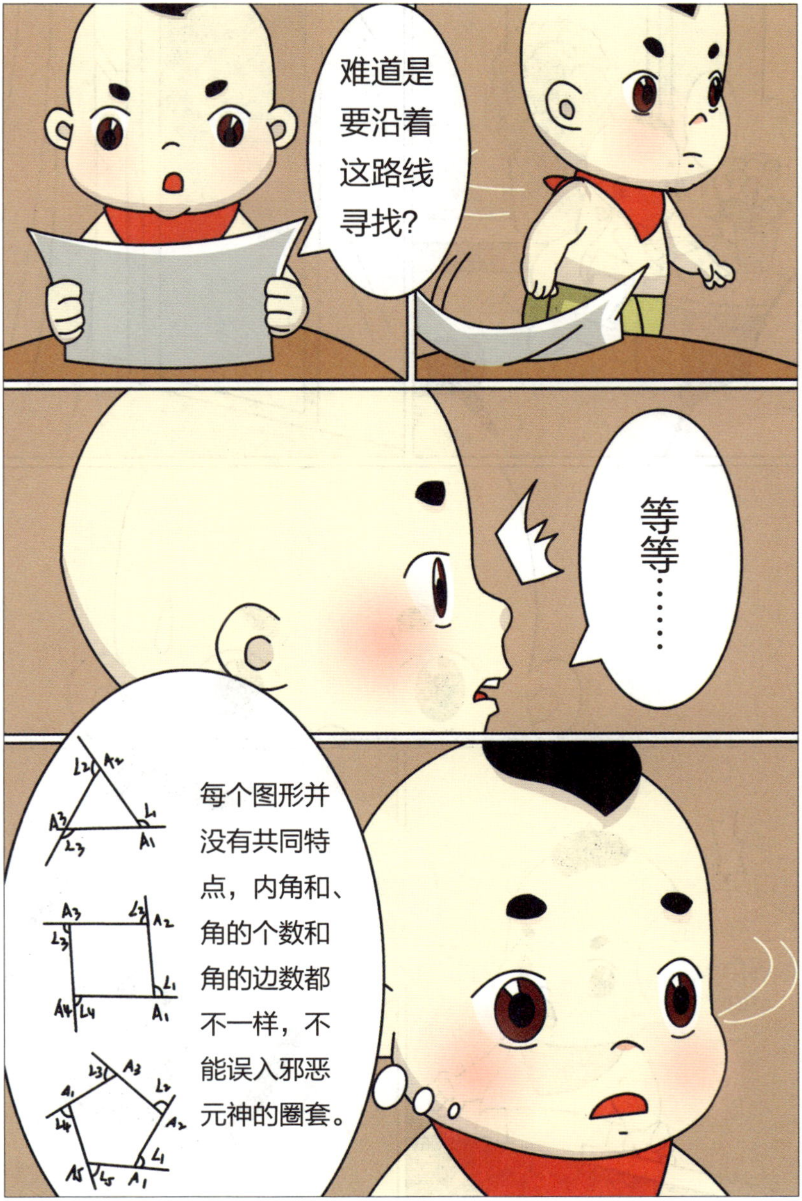
难道是要沿着这路线寻找?
等等……
每个图形并没有共同特点，内角和、角的个数和角的边数都不一样，不能误入邪恶元神的圈套。

……
三角形的内角和为180°。
不对，不是说这个事实不对，而是说这种看问题的方法不对，应该说……

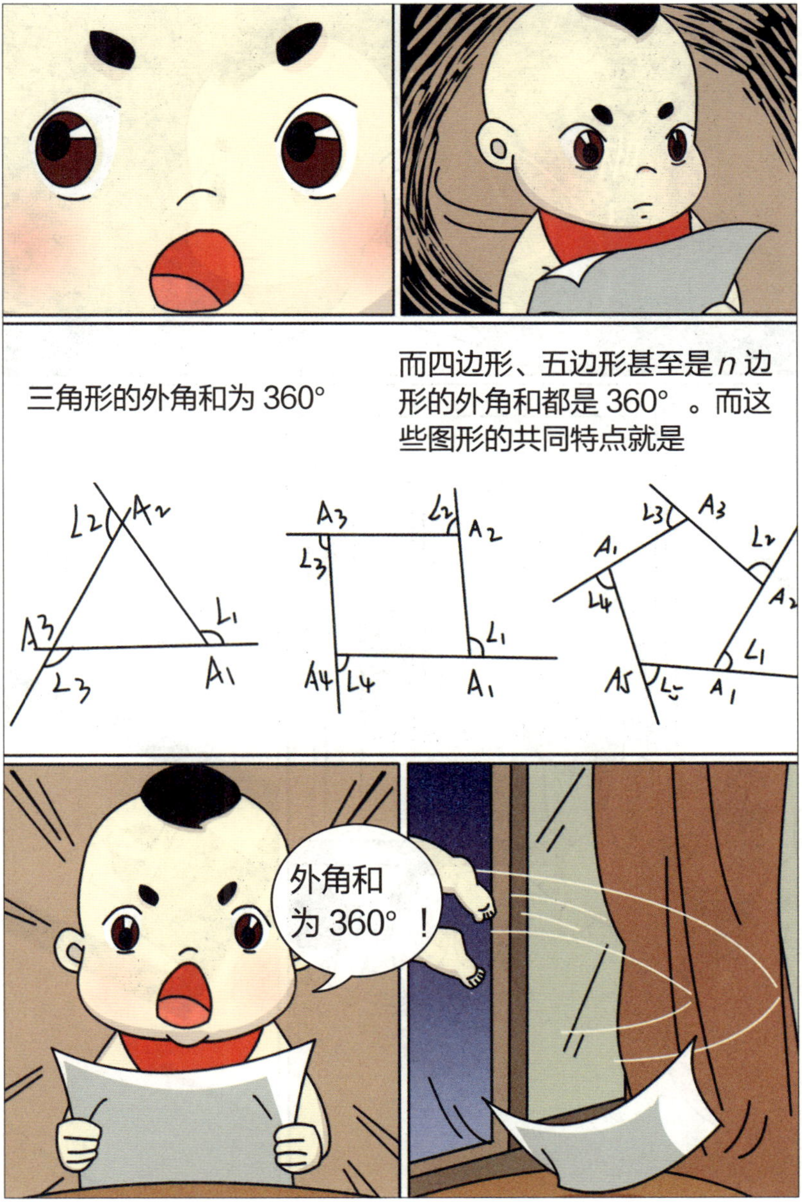
三角形的外角和为 360°
而四边形、五边形甚至是 n 边形的外角和都是 360° 。而这些图形的共同特点就是
外角和为 360° ！

咻~
@#$%&*
设想一只蜗牛在多边形的边界上绕圈子。

每经过一个顶点，它前进的方向就要改变一次。
A1

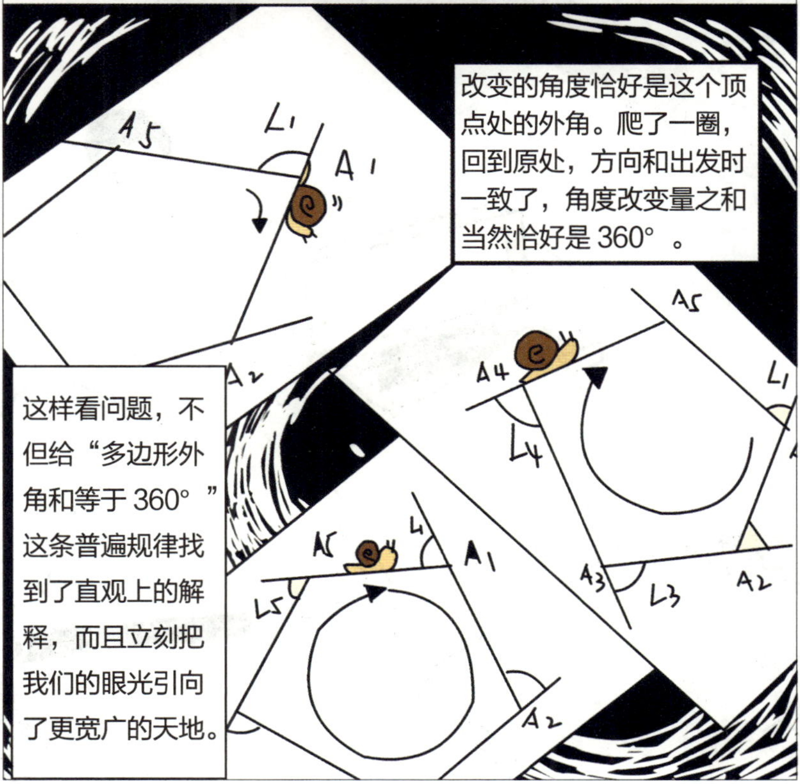
改变的角度恰好是这个顶点处的外角。爬了一圈，回到原处，方向和出发时一致了，角度改变量之和当然恰好是 360°。
这样看问题，不但给“多边形外角和等于 360°”这条普遍规律找到了直观上的解释，而且立刻把我们的眼光引向了更宽广的天地。

第四话 小天在哪儿？

傍晚 小梦家
咔—!
今晚吃什么?

夏小梦
你弟弟呢?
啊?他不是在家……
糟!

什么？！
你把弟弟一个人丢在家！
家里没看见小天。
小天不见了！

儿子！我的儿子！
儿子……儿子……
老婆别着急！
我们先报警，再分头去找。
难道他一个人跑出去玩儿啦？
不是肚子不舒服吗？

怎么说他也
会按时回家。
避免身
份暴露
啊……
不对!
他一定去找暗之元神了!
恐怕遇到危险了!

嗯
我去找弟弟！
小梦！
哎……
这孩子……

晚，古堡门口

总算打开了!
这一去凶多吉少,我要在这做个记号才行。
留个记号在门口吧!

傍晚，布慧庞家
福
福
小梦，才分开
就想我啦！
我弟弟……
不见了……
怎么回事？！

我出去之前他还在家，回来就不在了。
爸妈已经报警了。
我担心小天独自去找暗之元神了。
我叫上姚爱国他们，学校操场见！
小天，你千万要没事啊！

傍晚 操场
协助我的神去哪儿了?
恐怕小天是被暗之元神抓走了。
暗之元神出现了?

没有，我猜的。
你们还记得昨天李老师给的巧克力吗？
那巧克力可好吃了。
……
小天吃了巧克力就说肚子疼。
头晕，还说法力下降。

小天怀疑李
老师是……
啊？我肚子
没疼啊？
你又没法力。
对啊！人吃了
没事。
但神吃了
有事！

他不会真的是
暗之元神吧?
让我来消灭他吧!

啪！
好痛！

夜 学校操场
如果李斯特真是暗之元神的话?

就凭我们怎么斗得过他啊！
无论如何，我都要找到弟弟。
后山鬼堡！
可是暗之元神会把小天藏在哪儿呢？

可是没小天的帮助，
古堡不是我们几个就能随便乱闯的。
他不是怀疑李老师吗，那我们就先去他办公室找找。
行动吧！

第五话 始皇陵的陷阱

咔！
！

嗖
嗖
嗖！

还没到!

始皇陵
好像到了不得了的地方了。

曾听闻你附身过始皇并助他一统宇内。
!
还为始皇修建陵墓出谋划策。
我大费周章把始皇陵迁置于此就为等你的到来。

果然是你！
藏头露尾只现分身算什么英雄好汉。
有本事真身出来一战。

吃了我的巧克力
还有这么大脾气。
看来封印了你的法力，
还得封印住你这张嘴。
罢了，罢了！
只要你告诉我复活
蚩尤大人的方法。

你休想！
你休想！你不是我主人，我为何要回答！

……
哈
哈
哈
慧之元神，你这臭脾气果真一如当年啊！
你倒提醒我了，我可以让你那可爱的姐姐帮我问呀！

不好！他将
我困于此地，
最终目的是
引小梦过来！
哦，忘了告诉你，这个
阵法被我改造过了，
你可是跌落到了阴间，
没有人可以感应到你的，
但那帮熊孩子也许
能找到这里哦……

我的法力被削弱到十不足一，
暗之元神只有分身在此看守。
但可一搏，不能坐以待毙。

当初为始皇
修建陵墓，
没想到现在
坑了自己。

咔!

咔~
咔!

水银蒸汽有毒，时间久了会毒气入体，乱动则导致石块跌落，
导致岩浆上移，
水银漫上来更加危险，到底该怎么办？

始皇有千秋万载的帝国雄心，绝不甘心长眠在地下。这里绝对有通往阳间的通道。只要我到了阳间就能发出信号。
九九八十一个石块，对了，始皇自称帝王，而帝王号称九五之尊。在古代数字，九为数之极。难道这九九之数另有玄机！

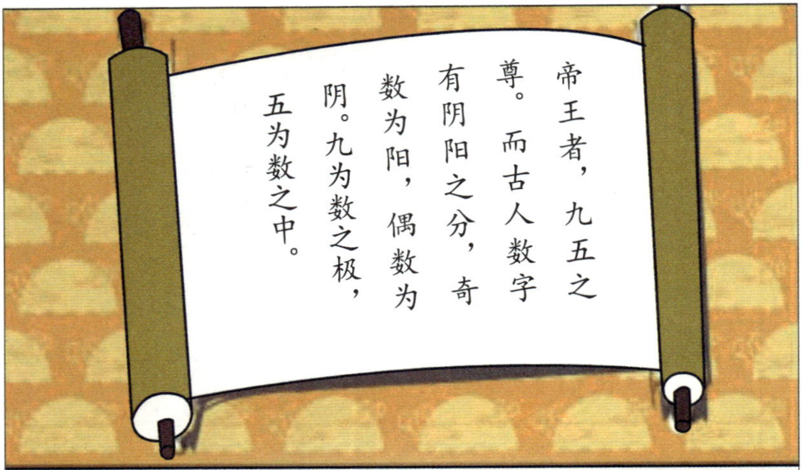
帝王者，九五之尊。而古人数字有阴阳之分，奇数为阳，偶数为阴。九为数之极，五为数之中。

如果这里有通道枢纽，应该暗合九五之数才对。

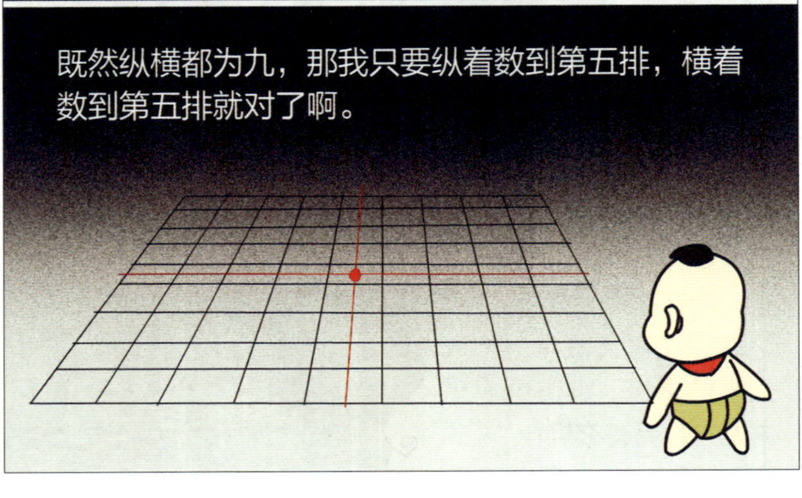
既然纵横都为九，那我只要纵着数到第五排，横着数到第五排就对了啊。

阵法定乾坤，纵横分阴阳。阴阳互转，乾坤相通。
这小子在干嘛?

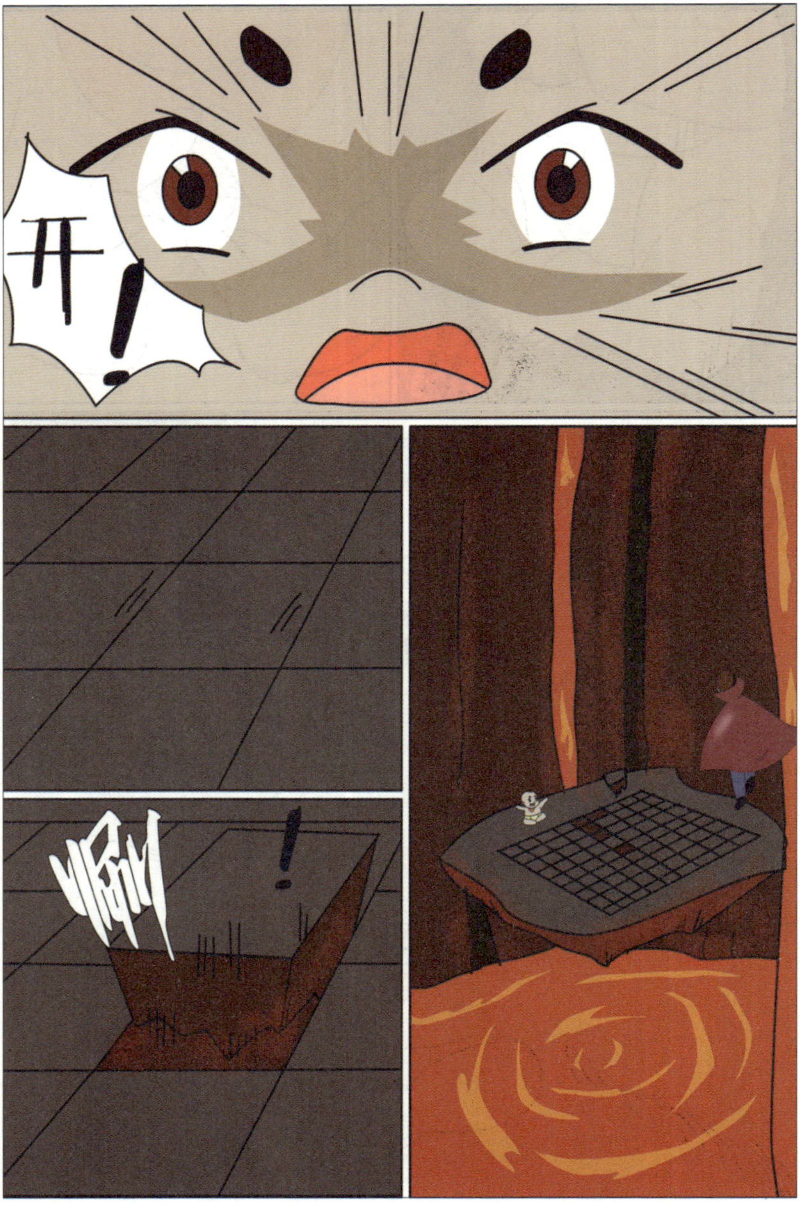
开！
!

嘶
耶!
哼
!

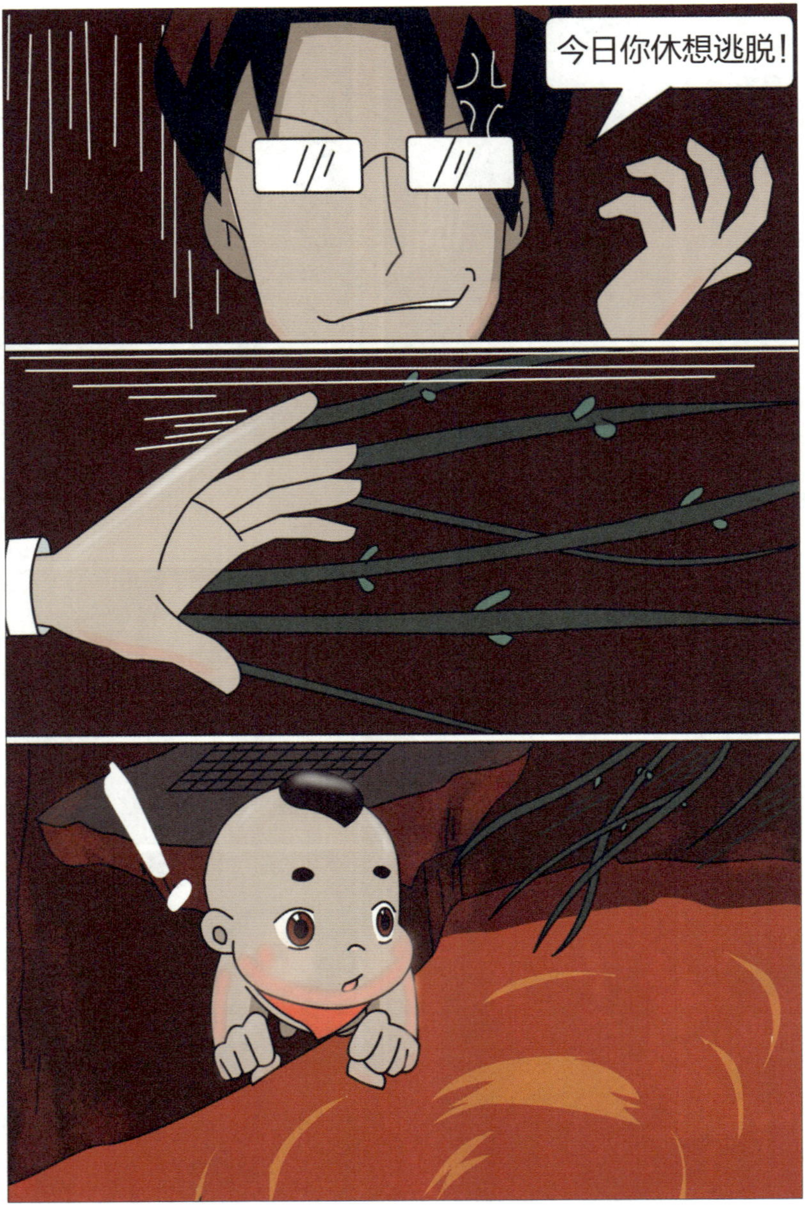
今日你休想逃脱！

看来只有这个了。
爆
爆

到了！
你们这些邪恶高傲的生灵，渴望飞翔、向往自由，却忽视脚下的生命。

挣扎吧，颤抖吧。

小梦，千万不要进来……
不要进来……

夜 学校
主任办公室
五人组

没有线索
上次的出口

我一定要
进去看看。
我来我来！
我以为从这里可以进入古堡呢。
！
出口进不了，入口可……
走吧。

怎么又是你，
我还没说完呢？
你不就是说
从入口进嘛！
对，我们快走吧。

大家准备好了吗？
时刻准备着！
就你行。

我来开!
咦?
正解
这不是慧之元神附身时，小天肚子上浮现的图形吗?

这应该是小天留
下的线索!
他就在里面……
那还等什么!
拼图!开门!
上次是有小天帮忙,
这次我们能行吗?
有我在,
肯定行。
不
行

为什么不行？
你们想过没？他是神，能保护好自己。
如果我们贸然行动，会不会反而拖累他？
小梦，那我们该怎么办啊？
易佰分说的对，我也不想让大家有危险。

我……我也不知道。
我们再等等吧，明早小神仙还没回来，我们再进去！
对，小神仙明早还不回来，我们大家一起进去！

第六话 神秘来客

02:10

小天，
你回来了？

记起来了?
你是因为慧之元神才变聪明的诸响亮!

不不不！你只说对了一半。
我此番是来救慧之元神的。
小天怎么样了？
我夜观星象，发现玄武方位星辰暗淡。西南方受暗黑之气困扰，想必是暗之元神在捣鬼。

那我们该怎么办?
山人自有妙计，明早去学校找迪卡卡校长！

第七话 校长解密

皇图霸业谈笑中，不胜人生一场睡啊！

你就别装了，慧之元神让我来找你。
没想到他把你给找来了。
我弟弟现在一定很危险！
粉笔

首先，把图形抽象出来，观察一下有什么特点啊？
有黑有白嘛。
具有轴对称和旋转对称的特点。
bingo

怎么就是轴对称嘛?
图一
轴对称
中心对称
哦!!!

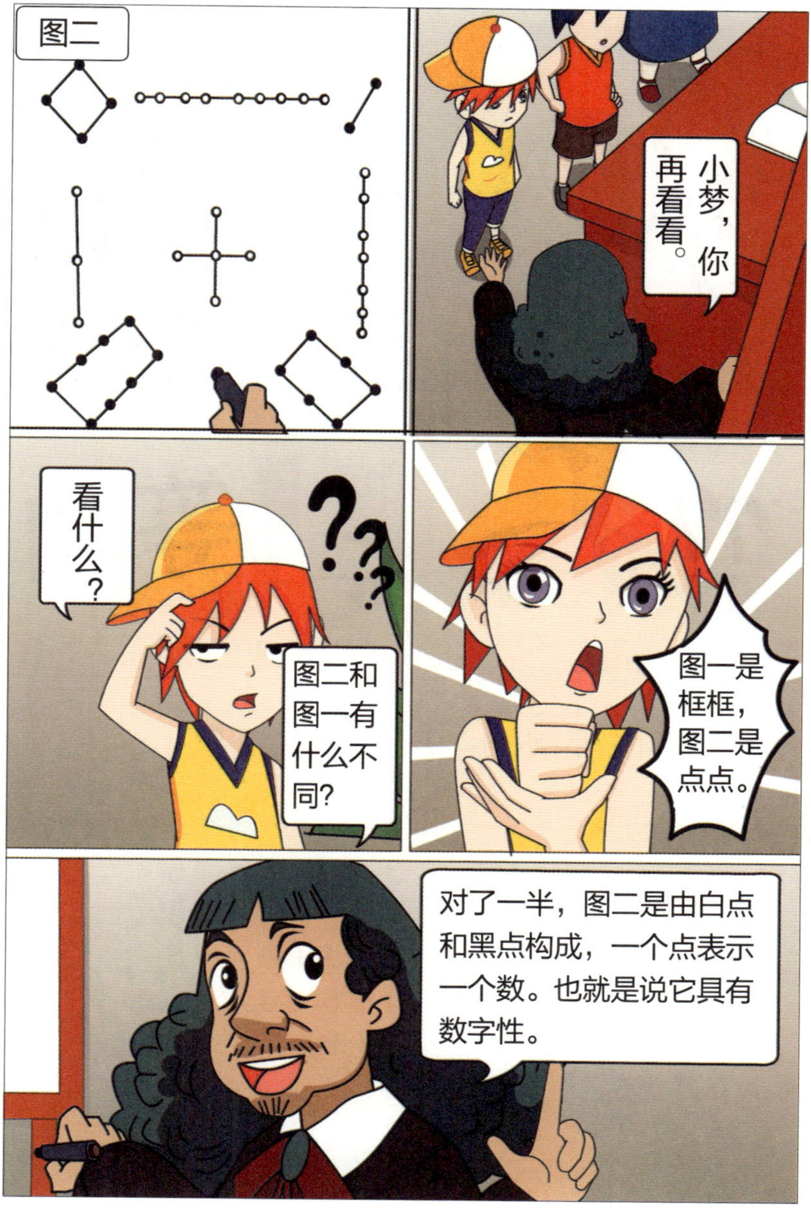
图二
小梦，你再看看。
看什么？
图二和图一有什么不同？
图一是框框，图二是点点。
对了一半，图二是由白点和黑点构成，一个点表示一个数。也就是说它具有数字性。

我知道，是1到9。
对的，而且还具有等和性。
??
等和
等和关系：纵向：9 + 5 + 1 = 15
4 + 3 + 8 = 15
2 + 7 + 6 = 15
横向：3 + 5 + 7 = 15
4 + 9 + 2 = 15
8 + 1 + 6 = 15
对角线：4 + 5 + 6 = 15
2 + 5 + 8 = 15

原来如此！
接下来
听好了！
你快说吧！
这又是要
干嘛？
问得好！
差为 5。

差5？
我好像
见过这
个题？
哦？那你
说说？
我忘了……
好吧，
还是让
我来吧。
上边 [4、9、2] 9−4=5
下边 [8、1、6] 6−1=5
左边 [4、3、8] 8−3=5
右边 [2、7、6] 7−2=5

也就是说数列 1、2、3、4、5、6、7、8、9 中存在一种关系，使得两数之差为 5。
与救慧之元神有什么关系吗？
现在，重点来了！
原来刚刚都是废话！

纵向：|5−9|=|5−1|
即 9−5=5−1=4
右对角线：|5−2|=|5−8|
即 5−2=8−5=3
横向 ：|5−3|=|5−7|
即 5−3=7−5=2
左对角线：|5−4|=|5−6|
即 5−4=6−5=1
唰—唰！
你能再慢点吗？
慧神每次轮回寄生都有四大守护神将在守护着他，慧神即至高无上的智慧！
盘古大神在化道前指定了守护神在危机时刻守护慧神。小天传来四个数字意味着是时候召唤四大守护神将了。

他们是谁？
我只是其一！
什么！校长是守护神将？哪有长这样的守护神将啊！
还有就是食神常先、力神力牧、风神风后?!
要怎么找他们呢？
线：|5−2|=|5−8|
远在天边。

哦。
校长！李斯特老师是暗之元神！
哦？是吗？那明天他能来上班吗？
这……这个我不知道，可是办公室没人，应该不来上班吧。
嗯，那我得给他扣一分。
教师考核

你不是守护神将吗？
为什么一点都不关心慧神的死活啊！好歹也要装出一副急切救主的样子啊！
我在胜利的彼岸等着你们……

第八话 军师施法 三神助威

既然小梦还需要其他三神的相助，那我可以布阵施法借来三神的力量。
但还需要找到三个习性相近之人作为力量的容器。

我崇拜力量，就让我作为力神神力的容器吧。
我可以容纳食神力量。
那风神非我莫属了！
诸响亮，这……
看来我们有三个人可以暂时借用三神的力量来协助你。

沟通天地，发挥阵浊之威。

借三神力量
灌顶而入。
阴居阳拂，
八千喽啰
惟天生水，
顺天应人……

感觉全身充满了力量！
哈哈哈！

!!!
慧庞，你感觉到了什么？

我也成功了，但就是更饿了……
喂，易佰分，你怎么不飞起来看看啊？

我什么都没感觉到啊。
怪哉，怪哉。

雪薇！
魍魉哥哥！
可是弟弟……弟弟……
是我没用，娘亲交代我好好照顾弟弟。

你别说话，我替你疗伤。
没用的，我的精魄已所耗无几，撑到现在就想见你最……最后一面。
不！不会的！
魍魉哥哥，我好累，终于可以去见娘亲了。

也许在另一个世界我们都可以平等自由了吧……
你一定……
一定要
好！

为什么一个个都要离我而去？
为什么！
为什么！为什么！这该死的人类！
可是我该怎么做呢？

哥哥我该怎么做才能改变这一切。
对了！利用秘之罗盘找到元神之祖——慧之元神！有了他的能量，一切就好办了。

麻辣小面
辣虾
这衣服真破！
我准备好了。

NYCO SHOP
sale
嘿！哥们，有个活你接不接？
什么活？

好活！一天八十，包吃包住。
工地就在风华小学附近。
我……
推！

sale
哎，我看你在这闲逛了半天了，小伙子出来打工别这么腼腆！
啪！
走你！